理財小達人

一起學習家庭理財

為什麼爸媽
忙著努力賺錢?

費莉西亞‧羅 Felicia Law、

傑拉德‧貝利 Gerald Edgar Bailey —— 文

顏銘新——譯

政治大學財政系　吳文傑副教授—— 審定

送給孩子一生受惠的禮物
——良好的金融理財素養

　　每年，美國「維吉尼亞州的經濟教育委員會」（Virginia Council on Economic Education）會定期與銀行業者合作，舉辦一個小學生的「經濟概念塗鴉比賽」，讓參賽的孩子們以色彩、圖案、簡單文字，描繪出一個他們心目中重要的「經濟概念」。

　　舉例來說，就讀國小三年級的小妹妹馬可娜，就在紙上畫了一間販賣著各式各樣美味麵包的麵包店，店外頭站著一位女士與一位小女孩。這位女士手上拿著一袋麵包要送給小女孩，女士說：「謝謝妳剛剛幫我清洗窗戶，這一袋麵包是我們之前同意的工作報酬。」

　　看完這幅畫作的內容，你猜得到這位小三的孩子想傳達的「經濟概念」嗎？是的，沒錯！她是在介紹一個「以物易物」（barter）的經濟概念。這些得獎畫作會搭配經濟概念的介紹彙整起來，最後製作成給美國中小學社會科課程的教師手冊。

　　為什麼他們要辦這樣的「經濟概念塗鴉比賽」呢？理由其實很簡單。因為美國的教育體系早已深刻體認到，必須**及早讓孩子建立基本的經濟概念，學習合宜的金錢價值觀，以及正確的自我管理策略，這些重要的生活基本能力，將會對人的一生造成重大的影響！**

　　當我們做家長的鎮日辛苦工作，疲於奔命的花錢在幫小孩找家教補習、學鋼琴、美術等才藝課，學習運動鍛練體能、購買電腦充實基本技能的同時，卻忘了一件更重要且基本的事，那就是提供孩子在面對現實生活中最基本的生存之道 —— 足夠的經濟知識與良好的理財觀念。正如這套書中所言：「世界上的每個人都需要錢。」但是**金錢不僅僅是一種物質，更是一種**

觀念；讓孩子擁有一個快樂、富足的人生，取決的真正關鍵不在於金錢的多寡，而在於孩子對於金錢的價值觀。

培養孩子的經濟知識與理財觀念，必須從小做起。但是對於較小的孩子來說，經濟的概念是很抽象的，其實不僅對於兒童，即使經濟概念的課程早已納入臺灣的課程綱要，許多青少年或是成人對於經濟概念也常是一知半解，甚至覺得無聊、深奧，因而往往敬而遠之。其實經濟知識就在你我的生活之中，但如何讓孩子儘早開始從生活中進行觀察，建立基本的經濟與理財概念？我想讓孩子閱讀一套生動有趣的書籍，絕對是不可或缺的方式。

「親子天下」出版社有鑑於此，去年便請我閱讀並評估這套童書，我閱讀完後，馬上大力推薦，希望他們能夠儘快出版。我推薦的理由有幾點：

第一，臺灣兒童的經濟教育已落後先進國家一大段距離，必須刻不容緩、迎頭跟上。

第二，這套書共分四冊，包括：個人零用錢的管理、家庭所得的運用、國家預算的分配，以及世界貿易的影響。正好符合我心目中對於**兒童學習經濟概念的四個階段 —— 從個人（學習如何管理自己的零用錢）到家庭（了解爸媽如何管理家庭的錢），從國家（認識國家如何管理錢）到全世界（認識世界的錢如何流動）。**

第三，這套書使用淺顯易懂的文字搭配生活化的觀察活動，無論是小孩或大人，都能從書中學習到該具備的經濟知識與理財觀念。

或許仍然有很多家長希望自己的小孩可以變成「小愛迪生」、「小比爾蓋茲」，但請別忘了，未來臺灣的「小巴菲特」和「少年巴菲特」或許就在你家。花點時間，陪伴小孩一起閱讀這套書，你可以一邊充實自己荒廢已久的經濟知識，一邊帶著孩子用嶄新的視野重新認識這個世界。

我由衷且大力的推薦這套書！

政治大學財政系副教授　吳文傑

目錄

你將在本書中學到家庭理財的各種知識！

PART 1

讓我們談談
家裡的錢

有時候當我們想買東西時，爸媽常會說：
「這個要花很多錢，我們家沒辦法負擔。」
或是：「我們家已經很多了，還需要買這個嗎？」
我們家到底有多少錢？錢都花到哪裡去了呢？

為什麼家裡總在計較錢？

在我們的家庭裡，無論是食、衣、住、行、育、樂，沒有一樣不用花錢，所以爸媽總是會跟你討論有關錢該不該花、以及應該怎麼花的問題。你是不是對於家裡的錢從哪裡來、以及錢都花到哪裡去感到好奇呢？太棒了！因為家裡有關錢的問題，都和你息息相關。

為什麼家裡總在計較錢？答案很簡單，錢能決定一個家庭生活舒適的程度，以及想要擁有的生活風格。無論家庭的金錢夠不夠用，家裡的每個人都需要用錢，所以大家經常會討論「錢」這件事。討論有助於家裡的每一個成員明白，哪些東西是我們負擔得起，哪些又是負擔不起的，也能讓我們在擁有真正想要的東西時，會更加心懷感激。

家裡的錢從哪裡來？

負責全家生計的可能是你的爸爸或媽媽，也可能他們兩人都需要上班。有些爸媽在公司或其他工作場所上班，雇主要求他們每個月工作至少必須滿一定的時數；有些爸媽則可能在家接案，在有限時間內努力完成雇主要求。雇主承諾所應支付的報酬，就是工資或薪水，薪

水一般會固定在每個星期或每個月，直接匯進爸媽的銀行帳戶裡，也有些工作是論件計酬。

錢打哪兒去？

爸媽辛苦賺來的錢，除了購

買維持溫飽的食物和衣物、支付房子消耗的水電瓦斯費等必需品，還要應付數不清的「願望清單」，要滿足這些「需要」和「想要」，都需要用到錢。

家人的願望清單

- ☐ 每日基本需求以外的零食和飲料
- ☐ 爸媽的車子需要用的汽油
- ☐ 偶爾想打牙祭外出用餐
- ☐ 上街看電影
- ☐ 存錢去國內或國外旅遊度假
- ☐ _____
- ☐ _____

除此之外，你還能想到錢會花在家裡哪些地方？

為什麼要做家庭預算？

爸媽如何判斷家裡的錢該怎麼用呢？非得要花錢時，有哪些方法可以開源節流？其實只要清楚記錄下每週或每個月基本的家庭開支，也就是做好所謂的「家庭預算」，就能幫助自己和家人做出正確的判斷與選擇。

誰來做家庭預算？

對於家庭的開支，爸媽心裡都有一把尺，他們知道最近花了大錢，最好能從別的地方節省一點，好讓家庭預算不會透支。你們家是誰在做家庭預算呢？很多家庭的開支是由父母一起共同決定，畢竟這關係到每位成員的未來。

錢夠不夠用？

有些家庭可能從來都不做預算，任憑成員們隨意花費，以為永遠可以不愁吃穿。但是你認為這樣真的好嗎？也許在短時間內沒有什麼不好，但是天有不測風雲，小至車子拋錨、屋頂漏水，大至家人發生意外，

請勿動手

需要龐大的醫療費。一旦意外發生，家庭預算一定會變得緊縮，身為家中一份子，你也應該幫爸媽分憂解勞。

必需品 v.s. 奢侈品

為了維持一家人衣食溫飽等基本需求所購買的生活物品，被稱為「必需品」，是家庭預算中的重要項目。家庭預算在支付必需品之後，如果還有剩餘，就可以用來購買「奢侈品」，奢侈品是一些生活上沒有絕對需要，但卻讓人「想要」，覺得有了這些感覺真好的東西。

區分必需品和奢侈品

哪些是生活中的「必需品」？哪些又是「奢侈品」呢？
請你動動腦，並在下方的表格中打✔！

序號	項目	必需品	奢侈品
1	文具用品		
2	運動用品和球鞋		
3	水壺與便當		
4	家裡的車子		
5	名牌書包		
6	飲料和零食		
7	去電影院看電影		
8	手機		
9	喜歡的課外書		
10			

判斷「必需品」和「奢侈品」並沒有標準答案，因為這牽涉到每個家庭的金錢價值觀，不妨問問你的爸媽和其他同學的想法，再提出你自己的答案。

為什麼我們家要存錢？

猜猜看，臺灣家庭每年存多少錢？根據政府的統計，平均每個家庭的儲蓄金額，大約佔家庭總收入的四分之一。也許你會想：「既然爸媽每個月都會有收入，即使這個月把錢花光了，下個月又會有錢可用，為什麼我們家還要存那麼多的錢呢？」

為了未來可預期的支出

家庭的未來支出，有很多是現在就可以預期到的，譬如小孩的學費、計劃要買房或買車的費用、父母退休後的生活費用等。這些都是可預期的大筆支出，若不及早準備，日後就容易發生財務上的困難。

為了遭逢變故時的因應

俗話說：「天有不測風雲，人有旦夕禍福」，每個家庭難免遭遇到一些無法預期的事件。譬如天災導致家園受損、父母突然失業、家人疾病或意外事故需要一筆醫療費用等，這時預先準備的存款就能幫助家庭度過難關。

懂得利息的算法

如果我們把錢存進銀行，一定希望這些錢可以增加，那麼當你收回銀行裡的這筆錢時，就能得到比原本更多一些的錢，這種感覺還真不賴！「利息」就是這個概念，利息是指支付給放款人（或存款人）的利益或報酬；也就是說，你借出去的錢在收回來時會變得更多一些。有了利息的鼓勵，人們就會有把錢借出去投資或存款的動機，來獲得更多的金錢。

計算利息的方式有很多，其中最簡單的一種稱作「單利」。單利是指在約定期間（通常是一年），讓原始金額固定增加一定比率的利息。

年數	投資的本金金額	每一年增加的利息（假設利率10%）	每年年底的本利和
1	100元	10元	110元
2		10元	120元
3		10元	130元
4		10元	140元
5		10元	150元

說明一：「本利和」是指投資的金額加上所獲得利息的總和，由於利率通常大於0，所以本利和通常會大於本金。

說明二：第2年到第5年的利息皆為10元，這是因為上表的投資金額與利率並沒有增加，所以利息仍是10元(=100×10%)。

當家裡負債了，該怎麼辦？

銀行提供的貸款或是信用卡業務，本意是讓顧客享有便利的金融服務，不過千萬要記得：只要借了錢，就表示你已經負擔了債務。如果不能做好自己和家庭的財務規劃，即使是貸款或刷卡消費這樣平常的行為，也可能為你帶來龐大的債務危機。

向銀行貸款

當一個家庭需要買房子、買車子，或希望自己開公司創業時，會需要大筆資金，這時大家通常會選擇向銀行借錢，也就是我們常聽到的「貸款」。但不是所有人想借錢時，銀行都願意借的。首先，銀行會先確認借款人有還款能力和意願，再約定好要收取的利息和還款日期，才會同意借款。

所以當我們用貸款的方式搬進新家或坐上新車時，嚴格來說這些東西還不完全屬於我們，如果沒有按時還款，銀行可以把房子或車子交由法院拍賣，來抵償我們所積欠的債務。因此全家人在取得貸款後，要更努力的省錢、存錢，才有穩定的收入來定期還款給銀行。

刷信用卡之前，先想一想

　　用信用卡付帳是一種簡單又方便的方式，先刷卡消費，等帳單來了再付款。但是當帳單寄來你卻沒能繳清應繳款項，就會變成債務，未來不但要還，而且利息比銀行貸款還要高出很多！如果成為「卡債一族」，將會讓家庭陷入困難，所以刷卡消費還是要量力而為。

當家裡負債時，我可以怎麼做？

　　負債總會帶給一個家庭困擾與煩憂。沒有一個家庭希望負債，但如果能夠明白家裡的經濟狀況和發生困難的原因，你也能盡一分心力，試著稍微勒緊褲帶，多給家人一點支持並分擔家計。

別急著吃掉棉花糖

英國小說家狄更斯（Charles Dickens）在其名著《塊肉餘生記》裡寫到，主角米考柏先生因為錢花得太兇，無法負擔債務而鋃鐺入獄。這牢獄之災讓他獲得一個教訓，那就是：

一年賺得1英鎊，
花費99便士，
留下的是快樂。

一年賺得1英鎊，
花費1英鎊又1便士，
招來的是悲慘。

臺灣已故的「經營之神」王永慶先生也曾說過：「你賺的一塊錢並不是你的，只有你存下的一塊錢才是你的。」同樣在告訴我們，謹慎用錢的重要。

萬稅
萬稅 萬萬稅

你一定曾經聽爸媽埋怨，每年都要繳好多好多的稅。埋怨歸埋怨，為什麼他們還是每年都按時繳稅給政府？除了不依法繳稅會被處以高額罰金外，是不是還有什麼其他的原因呢？

所得稅是什麼？

「所得稅」是指個人必須依照法律的規定，將年度所得一部分繳納給政府。通常所得較高的人繳的稅較多，所得較低的人繳的稅較少，甚至所得很少的人有可能根本不用繳稅。不過只要薪資在一定水準以上，幾乎每個人多多少少都要繳點稅給政府。

營業稅是什麼？

去商店買東西時，我們通常會拿到統一發票，發票可以對獎，中獎總是很開心的事。不過你是否曾經想過，為什麼要有統一發票？政府又為什麼要編列獎金給大家對獎呢？

其實政府是透過對獎來鼓勵大家領取發票，就能掌握商店到底賣出了多少金額的商品，便於徵收「營業稅」。通常我們在發票上看到的金額，除了包含我們買東西的貨款之外，還內含5%的營業稅。

譬如你花了100元買雜誌，其實裡面的95元是書錢，5元是要繳給政府的稅。有些國家的營業稅是外加的，因此你買東西時拿到的收據金額，跟你實際支付的費用是不一樣的。

爸媽繳的稅都到哪兒去了？

賺錢時要繳稅，花錢時也要繳稅，政府徵收了這些稅金要做什麼呢？簡單的說，稅金的用途就是：取之於民，用之於民，會用在人民需要的各種服務上。譬如你每天去上課的學校、常去借書的圖書館、公園裡的球場、在大街小巷載運垃圾的清潔隊、保護大家生命財產安全的警察與消防隊、出門走的道路、晚上照亮街道的路燈，這些我們生活中習以為常的公共設施與服務，正是來自於爸媽繳納的稅金。

下面這張圖，是我國中央政府的各項支出及比例，想想只要按規定繳納一些稅金，卻能享有那麼多的公共服務，其實是十分划算的！

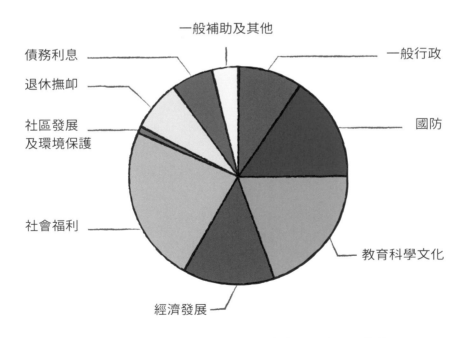

資料來源：行政院主計總處，106年度中央政府總預算案

17

生活中的公共服務

當你還在睡夢中，在你居住的村鎮鄉里或城市裡，已經有一群無名英雄默默照料著我們的日常需要。譬如清運垃圾的清潔隊員、營運學校及圖書館的老師和館員，或是趕著撲滅火災的消防員等，他們負責的這些事務一般統稱為「公共服務」。

公共服務的開銷

提供這些公共服務都是需要花錢的，而這些錢會從稅收來支應。一部分錢會被用在基礎建設及設備採購，如興建學校、購買消防車等。另一部分會用來支付老師、消防隊員等公共服務工作者的薪水。還有一部分會用來維繫公共服務的運作，如支付學校日常活動或消防隊緊急出動的成本。

生活周遭的公共服務

幼兒園和學校

政府設置國民義務教育，讓幼兒能夠到學校接受教育。

圖書館

在這裡你能盡情借閱各種圖書或其他媒材的資訊。

公園

人人得以享受綠樹成蔭和配備遊樂設備的開放空間。

特殊教育及照護

政府為身心障礙兒童與成人，提供在求學、工作和居家服務。

老年安養

政府提供社會福利來照顧無法獨立生活的銀髮族長輩。

運動中心

在這裡你可以盡情鍛鍊體能或是參加球隊。

博物館

這裡收集了大家喜歡的動物和恐龍模型，或是歷史文物和藝術作品。

保持健康的必要費用

爸媽最關心的事情，就是全家人的健康了。但人總有生病的時候，有時只是小感冒，有時可能因為意外事故受傷，或罹患了重大疾病。家庭成員生病時的醫藥費也是家庭基本支出之一，所以爸媽必須預先做好準備，以確保萬一發生意外時，你能夠得到最妥善的照料。

全民健保

我們國家有完善的全民健康保險制度。爸媽每個月的薪水都會被直接扣掉一部分，繳納給政府作為家庭成員的健保費，之後家庭成員需要就醫時，只需要負擔部分費用，其他醫療費用會由全民健保來支付。萬一有重大疾病或受到意外傷害，健保方案會支付大部分的住院費和手術治療費，還包括使用救護車的費用。

有了全民健保，大家就不太需要擔心生病時會負擔不起醫藥費，因為基本的醫療通常都已經被囊括在健保給付範圍之內。不過千萬不要因為便宜就一直重複看診、重複領藥喔！因為健保的所有支出仍是來自於大家的納稅錢。

醫療保險

　　有些家庭會選擇在全民健保之外，額外向私人保險公司投保醫療保險。這樣的選擇通常是希望不幸罹患疾病或遭遇意外事故時，能減少家庭所承受的經濟負擔，並得到更好的醫療或用藥。

　　不過由於相關保險種類繁多，投保前一定要明確知道自己的需要，並且詳細的研究保單內容。另外在投保額度的選擇上也要量力而為，這樣才能用最經濟的方式，達到降低未來風險的目的。

預防勝於治療

　　想要讓全家人生活得更健康，維持家人良好的生活及運動習慣是一個很好的方式。有的爸媽會參加登山、慢跑、瑜伽等運動社團，或是上健身房運動等；也有的爸媽會鼓勵孩子學習籃球、桌球、羽球、直排輪等運動，這些都會增加家庭的支出，但對於家人未來的健康卻很有幫助。畢竟擁有健康的身體，就可能減少未來的醫療開銷，也更能盡情享受自己的人生。

提供公共服務的
無名英雄

你一定看過有些穿著背心的清潔與工程單位人員，正在照顧我們的街道和馬路。每一個行政區域都配置著一些工務單位，這些工務單位負責清掃道路、填補坑洞、鋪平柏油。在有些寒冷下雪的國家，還需要這些人員負責剷除路面積雪，以維持交通順暢通行，否則後果可不敢設想！

公共工程部門

為了維繫我們的生活供電，
爬上電線桿工作的配電線路
工程師。

當你漫步在居住的城鎮中，時常可看到密密麻麻交錯著的各種電力、電話、網路和電視等各種纜線；在腳底下，則縱橫深埋著來自好久以前就設置的自來水管和地下水道。「公共工程」部門就是確保我們生活中的各種公共設施、公共事業和其他服務單位能夠順利運作。

除了公共工程部門，
還有哪些無名英雄在照料我們的生活呢？

公共衛生部門

　　在臺灣，各縣市都設有「環保局」來掌管當地的環境衛生。這個部門負責保障我們呼吸的空氣是乾淨的、飲用的水質是純淨的，並且會監督建商建造住宅或辦公室時，對附近的環境影響是安全無虞的。他們也會檢查餐館的廚房廢棄物與廢水處理是否適當，工廠排放的氣體是否無汙染等，來確保人民的生活品質。

垃圾清潔隊員

　　每一天我們都在不斷的製造垃圾，吃完的便當空盒、喝完的飲料瓶罐、吃剩下的廚餘、沒電了的廢電池、壞掉的家電……光是一個家庭的垃圾，就可以堆成一座小山丘了！幸好有清潔隊員每天辛勞的幫大家清運家中的垃圾，如果少了他們的服務，後果真是不堪設想。

　　臺灣目前通常以「焚化」的方式，來處理不可回收的垃圾，所以一定要做好垃圾分類，將一般垃圾、塑膠、紙類等垃圾分別處理好，再交給垃圾車上的清潔隊員。千萬別把塑膠混入垃圾袋中，不然不僅會造成空氣或土地汙染而影響生活健康，政府還得花更多額外的錢來整治環境，這些錢仍是爸媽所繳的稅金啊！

減少每天製造的垃圾、做好垃圾分類，你也可以是維護家園環境的英雄。

城市救難隊：消防隊員

很多人喜歡消防車，覺得它的車子外型既酷又炫，不過當消防車的鈴聲響起或警笛大作，卻總令人神經緊繃，駕駛人會快快讓出道路來讓消防車快速的通過，執行工務。

每當商店、辦公室或是工廠發生火災時，收到報案的消防隊員，就會馬上乘著消防車出動滅火。車上配備有長長的雲梯，可以上升到高樓層救人，以及能夠大量輸水的消防水帶。消防水帶會用來接到馬路旁的消防水栓，我們家中的用水同樣也是從這個輸水管裡流出來的。

消防隊員的救助服務也包括：處理森林火災、交通事故或是居家意外，甚至解救困在屋頂下不來的寵物貓咪也是他們的職務之一喔！

人民保母：警察

不管你到什麼地方，經常可以看到維護社會秩序的警察。他們會逮捕強盜小偷，保護我們免於罪犯的刀槍危害。他們的任務是要制止任何傷害別人或是損壞別人財產的事情發生。

　　警察的工作內容真可說是五花八門。交通警察的職責，是開罰單給車停得太久或是不按規則停車的駕駛人，並且攔截和處罰違規駕駛的車輛。警察也會在適當的時間與地點幫忙人民，例如幫助我們安全穿越馬路和指引目的地方向。他們的訓練是要成為人民的朋友和保母，隨時隨地保護民眾的安全。

　　被警察逮捕的犯罪嫌疑人，得在法院接受審判，一旦法官宣判有罪，他們可能必須繳付罰金或進入監獄服刑。警察、法庭、監獄是我們的人身及財產安全的保護者，相關成本也都是從爸媽繳納的各種稅金來支付的。

公用設施
也是**要花錢的**

「公用設施」是一個你聽起來很陌生的名詞，但其實你每天都在使用它，它指的是供應給家家戶戶使用的電力、瓦斯和自來水、電信等設施，而負責提供這些公共設施與服務的事業，就被稱為「公用事業」。

誰來提供服務？

「公用事業」提供滿足人民生活基本需求的服務，它的任務是在確保每家每戶的電燈放光明、電視有畫面、爐子會發熱、熱水能沸騰，而且打開水龍頭就有源源不絕的自來水。由於這些事情實在是太重要了，因此在有些國家裡，是由政府部門來管理提供服務的私人企業，甚至有些國家是由政府部門直接負責提供。

無論是水、電或瓦斯都是珍貴的資源，所以公用事業不能免費供應，而是由政府規定收費標準並要求使用者付費。其實使用者付費有時對大家反而是好事，當大家為了降低能源開銷而節約使用，可以避免資源浪費，減少發生限水、限電的危機。

享受公用設施該付多少錢？

　　為了享受公用設施以滿足生活基本需求，家裡的某些地方會安裝各種公用設施的計量錶，像是電錶、水錶或是瓦斯錶。這些裝置可以計算出我們使用了多少的公共設施，並告訴我們該付多少錢。

　　大約每個月一次，有人會來記錄這些計量錶，現在有些計量錶則是直接用電腦自動讀取。依照計量錶上的數值，會換算成我們應該支付的金額，並將各項帳單寄送給家家戶戶，這時就是我們該付錢的時候了。

不付帳單的下場？

　　接下來，提供水電瓦斯的公用事業就會等著使用者拿帳單來付費了。他們或許能忍受你遲交一段時間，不過時間拖長了，他們就會開始催繳，並警告你要停水、停電或停瓦斯。哎！這可不是開玩笑的，你能忍受缺水、缺電、缺瓦斯的生活嗎？

電力、汽油、瓦斯和水 是怎麼來的？

生活中有許多缺一不可的公共設施，為我們帶來莫大的便利與舒適，不過這些公共設施所提供的天然資源並非取之不盡、用之不竭，讓我們一起認識它、享受它，更要珍惜它。

電力是怎麼來的？

電力與現代便利的生活息息相關，電燈、電視、電腦、冰箱、冷氣等都需要電力才能運作。臺灣電力的產生，目前是以經由燃燒煤炭、天然氣、柴油的火力發電為主，其次還有相當比例的電力來自於核能、水力、風力及太陽能發電。

從發電廠到我們家之間，通常還有好長一段距離，所以需要依靠電力公司架設的輸電線路系統來傳送。電力從電廠出發，一路橫貫山林原野傳送到各個地區，再經過電線桿上的電線或都會區的地下電纜傳送到每個用戶。

汽油是怎麼來的？

車子得有汽油才能發動，但汽油可真是得來不易。首先得先深入地表深層或海床之下來擷取原油，然後將原油煉製成汽油，再用輸油管、油輪進行跨國運輸。我們所使用的每滴汽油，很可能已經旅行了大半個地球呢！

瓦斯是怎麼來的？

家裡煮飯、燒洗澡水用的瓦斯，分為「天然瓦斯」與「液化石油氣」兩種。天然瓦斯跟石油一樣是從地底探鑽出來，並經過長途運輸才送達巨大的球槽，再透過瓦斯管送到用戶家中。液化石油氣則是將石油提煉出的氣體加壓冷卻而成，透過瓦斯桶來運送。

自來水是怎麼來的？使用過的廢水又去了哪裡？

你曾經想過家裡水龍頭流出的自來水是從哪裡來嗎？洗澡或洗碗後的汙水又流向了何方？自來水的源頭通常是山區的水庫，自來水公司將水庫儲存的水淨化後，透過綿延不絕的大小水自來水管，一路輸送到用戶家中。

至於使用過後的家庭汙水，則會經由家中排水口流進地面下的大型汙水管，在地底繼續一段漫長的旅程。從小水管到大水管，從大水管到下水道，最後流進汙水處理廠，經過淨化後排放到河流或海洋之中。

家庭汙水會經由汙水處理廠淨化後再排放出去。

電信、手機和網際網路
是怎麼運作的？

現代人大部分都希望無時無刻能和家人、朋友保持聯繫，也希望能隨心所欲、不受空間與時間的限制進行線上購物，盡情享受各種娛樂。如今，全球化的跨國企業提供了各式各樣的播放設備和娛樂管道——當然，也寄送給你各種各類的帳單和收取費用。

電話

觀察一下家裡的電話吧！它是經由電話線連接到牆上的一個插口，插口中有兩條銅絲絞成的電話線再延伸連接到戶外電線。這條電線會經過許多電線桿，有時還會鑽進地底下，最後抵達中央交換站，再由中央交換站發散到世界各地的交換站。

手機

無線電訊號從基地台傳達到手機，基地台遍布城鄉，每隔數公里就有一座。如果想要把訊號傳得更遠，可以對著環繞在地球上空的人造衛星發射訊號，再把訊號傳回地面上的環球無線電通訊網絡。現代手機功能幾乎已經和電腦一樣強大！

網際網路

　　網際網路是一個把全世界的電腦網路連接到一起的系統,使得電腦使用者可以和全世界其他上億的使用者溝通聯繫。全球資訊網就是利用網際網路架構而成的系統,使用者只要透過瀏覽器就可以查閱到網路上的資料。網頁的內容可能包括文字、圖像、聲音和影片,使用者點擊連結就可以瀏覽內容。

信件和包裹

　　許多國家的郵政體系可以回溯到幾百年前。郵差有男有女,日日傳遞著郵件。不過到了現在,人們主要的通信工具變成了電話、手機和網際網路,需要被運送的郵件也日漸稀少了。

PART 2
家庭支出的
其他生活開銷

生活中食衣住行育樂……，
沒有一樣不需要用到錢，
或許我們也能為爸媽分憂解勞，
想一想，有哪些辦法可以幫忙節省家庭開銷！

餐桌上的食物開銷

採購食物的支出，是每個家庭都需要負擔的主要日常開銷之一。家庭購買的食物基本上是必需品，但也有一些屬於「奢侈品」，也就是那些你不見得真正有需要，卻又很想品嘗的食物，像是蛋糕或是冰淇淋之類的。下次享受這些美食時，千萬別狼吞虎嚥，因為那些食物不只美味，還包含著爸媽對你無限的愛。

自己種，自己吃

很久很久以前，大部分的人都務農，他們會在土地上耕作和栽種自己吃的食物。如果你現在有塊自己的農地，當然也可以自己種植果樹、蔬菜甚至穀類，或是養雞、養羊，甚至養頭牛來擠新鮮牛奶。自己種植的食物一定會比買來的便宜許多。

不過有些因素也要加以考慮，首先你要花錢購買種子和想飼養的動物，接著要準備農具和動物飼料。聽起來很麻煩，但即使如此，自己生產的食物相較於超級市場的價格，還是比較划算。

到商店購物

現在大部分的人除了會到市場購買食物，也會選擇到交通方便的商店、食品專賣店，或是大型超市等各式各樣的商店裡購買。還有一些人會選擇到有機商店購買食材，他們通常也會用更高的花費購買自己想要買的東西。

品牌的價值

　　有時候我們在超市購物時，會查看貨架上的商品價格，考慮看看要買哪個「品牌」。品牌通常可在製造商或販售商貼在商品上的名稱或標籤上看到，同類型的商品售價會因為品牌而有所不同。通常那些花錢做全國性廣告的品牌比較為人熟悉，售價也會比較貴一點；而那些不打廣告的品牌，則價格可能會便宜一些。

多買一點比較划算？—— 商品價格大調查

許多人喜歡到大型量販店購物，相較於一般超市，你能買到同樣的商品卻有更大份數量的包裝，所以精算起來，大量購物的商品每份單價會比超市中的單一售價要來得便宜。不過，如果食物過了保存期限沒吃完，有可能會壞掉，那麼即使你買得划算，仍然是一種浪費。

請你做個調查，觀察同一件商品在不同銷售通路的售價，並記錄在下方表格中。

商品名稱	連鎖商店 （例如7-11）	中型賣場 （例如全聯）	大型賣場 （例如家樂福、好事多）
某品牌衛生紙 （一大包）			
某品牌飲料（一瓶）			
3號電池（4顆）			
你喜歡的零食 （一份）			

為什麼有些商品的價格忽高忽低？

你曾留意過有些商品的價格會變動嗎？如果收入也有可能變多變少，那麼要如何確保你的金錢能夠維持正常的生活運作？我們通常會用「生活成本」來衡量日常生活所需要的金錢數字，這個數字就是我們能夠維持正常生活所需要付出的成本。

觀察你家的生活成本

如何計算生活成本呢？以食物為例，首先我們可以先選出一些生活中經常會選購的食物，成為一個標準組合（一籃子食物），將這個標準組合的購買成本記錄下來，然後長期的觀察這個組合的成本變化，有可能每個月或每一年會有不同，甚至每個星期都在變化。如果生活成本太常變化，可能使得家庭預算很難精準估算。

購物前最好先看清楚價錢再買。

為什麼要觀察生活成本的變化呢？舉例來說，食品加工廠商就可以趁著原料食物低價時進貨，以降低購買成本；如果價格上漲，他們也會等到真的有需要時再購買，儘量控制預算。

天氣也會影響價格？

　　像是黃豆、小麥、大麥、玉米、油菜籽、高粱等穀類食物，能供應國內民生所需的麵粉、食用油脂及禽畜的飼料，我們通常稱之為「大宗物資」，這些食物的價格會和天氣有關。

　　舉例來說，當穀物在成長期遇到乾旱，導致收成不佳、供貨減少，價格便會上升。那麼隨之而來的影響是什麼？當然就是你每天可能會吃的麵包和麥片也跟著漲價了。

　　除此之外，肉類價格也一樣會受到天氣的影響。例如供給牛隻食用的農作物減少了，飼主只好選擇提早宰殺牛隻；如果隔年能飼育的牛隻變得更少，那麼牛隻的供貨量變少，牛肉的價格變得更貴，牛排和漢堡也就跟著漲價了。這一切都是天氣變化所引起的連鎖效應。

農作物豐收時，供給量充足，價格下跌。

乾旱時收成大減，供給量不足，價格上升。

在自家的庭院裡種菜

如果你家有個院子，自己栽種一些食物，不但可以節省金錢，還可以幫助地球。為什麼？因為如果人們對於購買食物的需求量變少，就可以減少一部分從世界各地出發，運送生鮮食物到各處販售的飛機和車輛數量，降低化石燃料的使用量，也能減緩環境汙染。很神奇吧！

陽臺上的菜園

如何在家種菜？你所需要的就只有幾平方公尺的土壤、耐心澆水和一點點你的時間。就算你家沒有一座大花園，或是一個稱得上院子的小空地，但你還是可以自己種些東西。也許可以考慮看看在向陽的陽臺或屋頂上，或者就在窗臺上布置幾個花盆，種上一點食用農作物或香草植物。說不定一個小花盆就會長出讓你驚喜的番茄或青椒來！

增進健康

經常食用新鮮的蔬菜和水果能夠維持我們的身體健康，食用自己種出來的蔬果更加營養好吃。剛從園圃裡摘下的蔬果蘊含了最多的維生素，剛剛摘下來的時候是最好的享用時機。

省下菜錢

多吃一些自家種的菜，就可以少花一些買菜的錢。一袋種子並不算貴，卻可以種出好幾斤的食物，我們也可以從乾燥的花朵或是蔬果裡取出種子晒乾，留待隔年種下。

新鮮美味

新鮮的食物也是最好的食物。自家栽培的番茄嚐起來比起店裡買來的更加多汁甜美。許多人對全球市場的食品安全問題感到憂心忡忡，而我們自己用心栽培出的作物，絕對可以吃得健康又安心。

想一想

○ 超市裡的食物已經在貨架上擺放了多久？

○ 又經過了多少的時間才從田裡抵達你的餐桌上？

檢視你的衣櫃

你的穿著風格是簡單就好，或是跟著流行走？你的衣櫃裡的衣服是夠穿就好，或是爆滿到關不上？也許你是介於兩者其間。但衣著風格跟你的價值觀息息相關，有的人認為非得要穿著市面上最流行的款式才叫酷，或者要買最昂貴的運動鞋才行，你是其中之一嗎？

學校制服

在很多國家裡，學生大部分時間都是穿著學校的制服。學校制服很少是看起來新潮流行的，而且每個人穿得都一樣，這樣一來就不需要比較哪個同學穿得比較新潮，也不會帶給父母和你太多壓力去購買更多的衣服。從這個角度來看，學校制服是一種很有效的「均衡措施」。

聰明消費

我們都知道不一定要穿著最流行的設計師款服裝，才會看來美觀和感覺舒適，但也不是說我們得要穿得破舊不起眼，其實還是可以用合理的價格來為自己搭配穿著。我們的服裝費用可能佔了家庭收入的10%，那可不算是一筆小錢。

衣服不一定要貴才叫好。有些設計師品牌在暢貨中心打折販售，一些連鎖商店也提供許多物美價廉的商品。

一般而言，現代的服裝價格比從前實惠得多，因為中國和印度這些地區提供相對低廉的勞工來從事生產活動。在這些國家縫製一件襯衫的成本，可能不到美國的一半。

百貨公司賣的 高價商品　暢貨中心打折 的商品

廣告和流行雜誌推薦什麼穿搭風格，
那是他們的專業，
在決定穿什麼、買什麼以前，
我們要想到的是自己或是我們的爸媽
可以負擔得起的價位是什麼。

家裡 最大的 支出來源：房子

許多家庭住的房子是跟房東租的，另外也有許多家庭是先跟銀行貸款來購買房子，再逐年還錢給銀行。除非不用繳租金或貸款，不然居住成本通常是家庭支出中最大的一筆，此外房子的保險、裝潢與修繕等，也是不小的支出。

房屋貸款是什麼？

房屋貸款是指銀行提供給民眾購買房子的一種貸款方式。大多數銀行提供20～30年的貸款，讓借款人每個月固定還一小部分的錢。在借款人每次還銀行的費用之中，有一部分是還本金，另外也有一大部分是付給銀行的利息。

房屋租金是什麼？

有一些人住的房子是用租的。租房子的人付錢給實際擁有房子的人，也就是房東，付給房東的錢就是租金，也稱為房租。房租通常是每個月繳一次。租約是一種雙方同意的合約，用來約定租金多寡和租期長短等。租期是指雙方同意居住和支付租金幾個月或幾年的時間。

等租約到期，也就是約定好的時間到了，雙方可以選擇更新租約，也就是續約，或者不續約則另謀他處繼續生活。

為什麼要幫房屋保險？

有時火災、地震、颱風或豪雨帶來的淹水，可能為我們的家園帶來財產損失。所以有些家庭會選擇為房屋和房屋內的裝潢和財產購買保險，只要每年付一筆金額不大的錢給保險公司，如果有一天因為災害而造成損失，就可以由保險公司支付部分費用，來減少家庭所承受的天災損失。

房子需要維護與翻修

圍籬斑駁、管線破舊、水龍頭漏水、牆面龜裂？想保持房屋和居家環境的整齊與清潔，得靠許多的居家工事，其中有一些是父母能夠親自動手完成的。不過，還是有一些維護工作必須要動用到家庭預算來支付。

哇！看起來光是房子，就要花不少錢呢！如果我們能夠多了解爸媽工作的辛勞，以及為了這個家承受的財務負擔，就能體諒為什麼他們總說「錢要省著點用」了。

讓你家潔淨光亮的支出

一般家庭的生活常態，經常處在不停的混亂中：廚房裡烹煮菜餚後產生的油汙、吃剩的食物和用過的鍋碗瓢盆；浴室的洗臉盆和浴缸經常有髮絲、灰塵和汙漬。你的房間呢？每天都能夠保持整齊清潔，有條不紊嗎？讓你的家清潔整齊，就能為爸媽省下一筆家務清潔的費用喔！

打掃房子

一般家庭大約一個星期打掃一次，誰來打掃呢？有些家庭由媽媽或爸爸自己動手，有時候你也會幫忙做家事。也有些家庭沒有時間打掃，就會請別人來幫忙整理，那麼這筆清潔費用，就必須用掉家庭預算的一部分。

清潔用品

進行清潔工作需要使用各種不同的清潔用具，包括溶解油汙、殺菌消毒、增添香氣等各式各樣的清潔液，還有去除霉味汙漬的洗衣劑。更別忘了還要購買我們自己洗澡用的肥皂和洗髮精等。

想一想

有哪些清潔用品不需要花
太多錢就可以取得？

家裡電器

　　用來打掃家裡的電器也是一筆不小的支出，想一想家裡有多少電器用品是用來清潔打掃的？洗淨衣服的洗衣機、整燙衣服的熨斗，或是清潔地板和牆面的吸塵器，甚至還有些電器是專門用來清理打掃器具的設備。

電器維修費

　　所有的電器都可能壞掉。有時候是機器內部故障，有時候是零件鬆落。這時如果是在保固年限以內，則可以獲得免費維修或免費更換新品的售後服務保障。否則就得要再添購新的電器，作為你們家的家庭清潔好幫手了！

為什麼有錢人不一定買車？

你家出門是搭乘大眾交通工具，或是有轎車代步？你是否曾經想，如果家裡頭有車可用，那麼為什麼要搭公車呢？事實上，開車上路很花錢啊，你想得到的加油費，只不過是開車成本的一部分而已……

小或大……

買車

想要有車代步，首先就必須花費一筆買車的費用，這是一筆不小的花費。許多人沒辦法一口氣花大錢買下一部新車，有些人連二手車也買不起，那麼可以選擇用租賃車輛的方式。還有一些人則選擇先借一筆錢來買車，在未來的特定時間內按月償還借款。

註冊

舒適或省油

每一部車輛都要到汽車監理單位登記車輛所有權。有些國家的註冊費用比牌照費用還要高呢。

牌照稅和燃料稅

行駛在馬路上的汽車需要牌照，汽車要發動則需要燃料，而牌照和燃料都是需要繳交稅金的。在臺灣，每年都要繳交一次的牌照稅和燃料稅，並且會依照你的車子排氣量繳交不同金額的稅金。

牌照有固定的有效期間，牌照到期前需要再付費更新。某些國家課徵非常高額的燃料稅金，這時如果你選購是電池電力的油電混合車，會比起猛喝汽油的大型車輛更加經濟實惠。

保養

就算是新車也需要適當照顧，要照顧就得花錢。機油、濾芯、剎車零件、輪胎都要花錢。許多國家規定一部汽車使用幾年之後必須要進行安全檢驗，更換可能導致危險發生的磨損零件，而更換零件和安全檢驗都要耗費預算。

汙染

汽車是現今地球上最嚴重的汙染源之一。汽車靠燃燒汽油驅動，同時排放出廢氣，損害了我們的健康和汙染了空氣。當車子毀了、壞了或是舊了之後，人們將它廢棄，數量之多堆積成高高的破銅爛鐵山丘。我們真的應該盡量使用大眾運輸工具，例如公車、捷運，以及我們最好的交通工具——以雙腳步行。

你知道廢棄車輛會如何處理嗎？又該如何回收利用？

請上網搜尋相關資料

為人生奠定基礎的 教育費用

早上起床，去上學，回家，寫功課……，現在你的生活全部都跟學校有關，學習看似永無止境，有時你好希望能休息一下喔。你知道世界其他國家的孩子都在做什麼嗎?為什麼接受教育是人生階段中最重要的一件事呢?

「免費」教育

有許多國家會提供人民免費的義務教育，包括幼兒園、小學和中學教育。國家會倚靠著父母繳交給地方政府或是中央政府的稅金，來支付興建校舍和發給教師薪水。稅收也用在校車費用、教科書和體育活動等其他的事務上面。如果你生活在這樣的國家，真幸福！

放學後的學校

有些國家的孩子放學後還要參加另一種學校，例如95%的韓國中學生會在下課後到補習班上課。這些補習班的老師會為孩子加強課業，好讓他們有機會進到學術聲譽較好的學校；還有些韓國學生要參加武術或音樂等才藝教室，因此許多韓國學童經常很晚才能回到家裡。

大專院校

　　大專院校的學費高低和居住的國家或地區有關。大多數國家只會用一小部分的稅收來投入高等教育，大部分的學費是由學生的父母承擔。你可以申請低利率就學貸款，在將來的期限內償還。英國對於大學學費訂定了收費上限，但是每一年的學費還是高達幾千英鎊（1,000英鎊大約是40,000元新臺幣），美國的大學學費可能是英國的四倍，印尼的大學學費相對比較容易負擔，只有美國的十分之一左右。

　　如果是離家求學，別忘了還要計算住宿和伙食費用這些多出來的成本。降低求學成本的方式之一是爭取獎學金，這筆費用將能為你分擔學費和生活費用。

家庭小訪問

訪問周遭的人從小到大就讀的學校，以及曾經參加的入學考試。

訪問問題 / 訪問對象	請問你的出生年月日？	請問你曾就讀哪些學校	請問你曾參加過哪些升學考試
爺爺、奶奶			
爸爸、媽媽			
就讀大學的大哥哥、大姊姊			

說明：臺灣在1968年9月9日正式實施「九年國民義務教育」，從此入學的國小學生無需經升學考試即可就讀國中。

49

免費或省錢的
家庭娛樂

平時你的父母上班努力工作，你在學校努力讀書。等到家人們全回到了家裡，還有一堆家事等著要做，你也得把功課做完，更別提那些例行的生活瑣事如刷馬桶、倒垃圾等，正因如此，休閒時間顯得珍貴又難得，我們都要好好把握和家人相處的時刻。

空閒的時候你也許只想和電腦或手機黏在一起，或是掛上耳機進入自己的世界裡。但是隨著你漸漸長大，和家人出遊的機會也可能變少，因此好好把握和家人共同的歡樂時光吧！不管是外出暢遊主題樂園、看電影、節慶遊行，或是一起出去吃飯、欣賞比賽等運動賽事，或者只是單純在家裡享受休閒時光……你怎麼可能想要錯過？

樂趣無窮的娛樂

一般而言，我們選擇的娛樂會取決於我們有多少的時間或假期，以及在支付完家庭常態的開銷之後，還有多少預算還可以安排娛樂活動。

現代生活中的娛樂有的免費、有的需要收費。一般家庭會選擇一些免費或省錢的娛樂，例如邀請好朋友們在後院或是公園裡踢足球，或是一起騎著腳踏車穿梭市區街道或是鄉間小徑。免費或省錢的娛樂活動，一樣樂趣無窮！

經濟又實惠的娛樂

還有一種不需要花大錢就能享受的休閒娛樂，例如邀請朋友們各自帶著食物飲料來參加聚會、到沙灘上或公園裡放鬆一整天、到鄰近的咖啡廳或餐廳享受美味的一餐，或是購買便宜一點的音樂會或是球賽門票，便宜的門票可能位置比較高、距離比較遠，但還是可以從大螢幕觀賞到動作和細節。

存錢是為了安排一趟家庭旅行

假期讓全家人共享歡樂。無論是春季、夏季、秋季或冬季都可以安排渡假，不管是兩天一夜、三天兩夜或是一兩個星期以上都無妨，只要心情對了就馬上出發！去渡假村、沙灘逐浪或是山中小屋渡假，甚至安排海外旅遊……家庭經濟狀況決定旅途的長短和形式。

經濟型的假期規劃

經濟型的假期安排是一般家庭最常選擇的渡假模式，可能選擇國內旅遊，開車或搭乘遊覽車四處遊歷，也可能是參加經濟實惠的旅行團出國觀光。有些旅行社會推出廉價旅遊或是廉航機票，提供給預算有上限的遊客，參加旅行團出國時，所有的機票、住宿和三餐大多數會事先規劃好，讓你享受一個輕鬆的渡假時光。

當你看到有些同學假期時出國玩,會不會很羨慕呢?

豪華型的假期安排

有些國內與海外旅遊,會花費非常多的家庭預算,並不是每個家庭都可以負擔得起的。不過如果能事先規劃行程,提早開始儲存旅遊預算,就有可能實現。或者你也可以比照辦理,存下自己的零用錢或是打工賺到的錢,為自己累積一筆旅遊基金,只要積少成多,你也可以完成自己夢想已久的旅程。

總而言之,家庭假期的規劃內容,要視父母花錢的意願和能夠保留多少的家庭預算以供使用。

一旦決定渡假,去哪裡不是最重要的,
只要你的心情輕鬆愉快,必定充滿歡樂。

養寵物 需要多少花費？

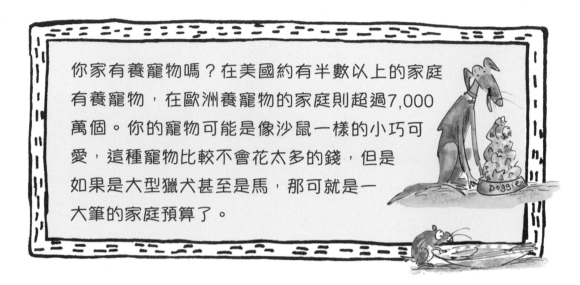

你家有養寵物嗎？在美國約有半數以上的家庭有養寵物，在歐洲養寵物的家庭則超過7,000萬個。你的寵物可能是像沙鼠一樣的小巧可愛，這種寵物比較不會花太多的錢，但是如果是大型獵犬甚至是馬，那可就是一大筆的家庭預算了。

飼養寵物的費用

想要飼養寵物的方式有很多，認養流浪動物就是一個很好的方式。如果你選擇認養寵物，可以到相關機構或協會辦理，從可認養的動物中自行挑選合意的動物，並且要繳交晶片植入手續費、預防注射費等費用，你就正式成為認養動物的主人了。

但是如果你想要飼養一些價格不斐的寵物，就必須花上一筆龐大的購買成本了。不管你選擇認養或購買寵物，身為飼主的你必須具備照顧寵物的愛心與耐心，還得支付照料寵物的基本生活費用。以飼養一隻狗狗的預估成本為例，費用包括：食物費用、玩具和點心費用、獸醫門診和醫藥費用、清潔與相關用品費用、狗舍和寄宿費用……。

在英國，飼養一隻狗大約每年要花費約50,000元臺幣（平均一個月4,000元），如果飼養的是馬，那麼花費就更龐大了。在臺灣飼養一隻寵物的成本又是多少呢？決定要飼養寵物之前，請

先確認你的家庭是否負擔得起這項多出來的支出，也請問問自己，是否已經具備擔任寵物主人的責任心。

人們喜愛飼養的寵物

根據統計，在歐洲的家庭大概飼養將近2.5億隻寵物，其中最多人飼養的動物是貓，其次是狗。近年來，臺灣飼養寵物的數量呈現大幅成長，根據2015年的統計，平均每三戶就會飼養一隻寵物，其中最多人養的寵物是狗，其次是貓。觀察一下你家附近的鄰居，有多少人家裡有飼養寵物呢？他們一年又花多少支出在照料家中的毛小孩呢？

爸媽養育你的
成本有多少？

當然，你的父母不會詳細計算養育你必須花費的「成本」，他們愛你，希望為你創造出最好的環境，讓你快樂長大。他們希望你健康和強壯，擁有最好的機會去接受教育和發展潛能。他們也許從不去計較花費在你身上的一切金錢，不過，這一切是可以計算出來的。

　　讓我們假設你的爸媽從你出生起，一直養育你直到21歲那一年，也就是大約在你完成大學教育的時候。

　　你的爸媽應該不會過於溺愛你，但他們需要支付你平日生活中必需品的成本，像是為你準備每天的食物、衣著、學校制服和每天的通勤費用；他們偶爾也會為你買一些奢侈品，像是為你報名放學後的才藝班、運動或社團活動，甚至會幫你添購電腦、手機，還會定期給予你零用錢和生日禮物。更別提他們對你無盡的愛，那可是無法用數字來計算的呢！

　　在英國，要把孩子養到大學畢業，一對父母大約需要準備22萬2,500英鎊這麼一大筆錢（大約折合新臺幣800多萬元），在美國則大

約需要準備30多萬美金（大約折合新臺幣900多萬元），可見養育孩子有多麼辛苦了。

即使如此，你的父母仍是甘之如飴，每天努力工作賺錢，盡可能的提供你一切資源，讓你平安快樂的長大，為的就是希望你未來能過你所期待的生活、享受工作，擁有一個豐足圓滿的人生。

世界其他角落的孩子

你知道嗎？全世界幾乎有一半的人口，人數大約是三十億左右，他們每天的生活費用只有新臺幣75元，經濟上的匱乏導致他們生活在貧窮的處境中。想一想，如果你每天的生活費只有新臺幣75元的話，平均分攤下來，一餐只能花費30元不到的金額，光是填飽肚子就不夠了，更不用說還要購買其他的生活必需品，是不是很難想像呢？

你也能為爸媽分憂解勞

這本書到這裡將近尾聲了，你應該明白家裡需要支出的開銷真是五花八門。幸好，總會有一些辦法可以幫忙削減家庭開銷來減輕家計，更幸運的是，爸媽有你這位理財小達人能共同幫忙，現在就讓我們一起動動腦，為爸媽分憂解勞！

想一想

1. 在日常生活中，家庭裡不知不覺會花費的費用有哪些？例如：電費、瓦斯、水、冷氣或暖氣、交通、食物和衣著等，除此之外還有哪些呢？

2. 我們選擇過日子的方式，決定了我們能夠怎麼樣花錢，你同意嗎？我們能夠在生活中做哪些調整，來降低基本的生活開支呢？

3. 你知道家庭的總支出是多少嗎？我們一起算算看！

家庭支出算算看

步驟1：請詢問你的爸媽每個月的收入為多少元。

步驟2：將家庭每月支出項目的金額填寫在表格中。

總收入金額			
家庭月支出項目	金額（元）	家庭月支出項目	金額（元）
房屋貸款/租金		學雜費	
食物費		補習或才藝學習費	
電費		全家旅遊費	
瓦斯費		休閒娛樂費	
水費		奉養長輩與節慶紅包費	
修繕費			
保險費			
大眾運輸交通費			
家用汽車交通費（如加油費、保險費、保養費、貸款費等）		總計支出費用	
剩餘可儲蓄的金額			

說明：你不一定要像這樣在紙上記下來，網路上有許多使用方便的試算
　　　表可以下載。如果你的父母還沒開始做家庭預算，你可以為他們
　　　建立一套管理家庭預算的方式。

試試看這個連結
訪問爸媽並填上數字之後，
就能自動計算出家庭收支喔！

問題與討論

1.如何減少開支？

　　日常生活中，家庭裡不知不覺中會花費的費用還真不少，怎樣能夠降低這些開支呢？給你一點點線索，當你不需要照明時，記得隨手關燈，能夠步行的時候就別搭車。請你和家人或同學一起討論看看，還能做些什麼事？

2. 在家做飯v.s.外出用餐，哪一種划算？

　　有的時候媽媽懶得下廚，爸爸也不想煮飯，那麼就全家外出用餐吧！不過外出用餐是家庭用在食物支出中最昂貴的一種，雖然有些國家的餐館或是連鎖速食店相對而言較為低廉，但是一般的家庭為了控制預算，也為了維持身體健康，還是該管控外出用餐的次數。不如我們來實際的算算看吧！

在家自己做漢堡

材料：番茄醬、生菜葉、番茄、麵包、起司、漢堡排……

大約40元

在速食餐廳購買漢堡

相同材料

大約90元

3.刷卡或是付現？

　　我們的爸媽或許向銀行申請了一張特殊的塑膠卡片，他們常用這張卡片而不用現金來付帳，這些卡通常叫做信用卡或是簽帳卡。你知道他們和現金有什麼不同嗎？請你想一想，用哪一種來付帳比較好？為什麼？你知道你家曾經用貸款的方式購買哪些東西嗎？

4.保護自己、愛惜環境就是一種省錢？

　　生活中樣樣都花錢，懂得惜物愛物真的很重要。你知道要怎麼樣保護自己的身體嗎？此外，維護一個適當的居住環境也能降低生活成本，讓我們的生活環境更美好。

　　請和你的家人和同學討論出一些改善環境的做法，也許從這幾個線索開始做起：盡可能做好回收工作、自己種菜。你還能想到其他哪些方法來保護自己和家人的生活環境呢？

　　上網查詢哪些清潔用品不需要花費太多錢，而且還更加環保？你知道廢棄車輛會被如何處理嗎？又該如何回收利用？

本系列與十二年國民基本教育課綱對應表

以下彙整本系列與各學習階段「社會領域」課程相對應的內容，期待孩子、家長及教師能將書中內容與學校課程相互搭配，讓金融與理財的知識融入生活、從小紮根，為孩子奠定未來實現理想人生的基礎。

備註：表格中以色塊標示系列冊別，並於其中標注頁數

理財小達人1　　理財小達人2　　理財小達人3　　理財小達人4

國民小學中年級（第二學習階段）

課綱主題	能力指標編碼與主要內容	本書相應內容
人與環境	Ab-II-2 自然環境與經濟發展的相互影響	過度消費 P48
生產與消費	Ad-II-1 個人參與經濟活動，與他人形成分工合作的關係	工作 P20-24 消費 P34-45
	Ad-II-2 透過儲蓄與消費，來滿足生活需求	儲蓄 P24-31　P12 消費 P34-45　P34-53
價值的選擇	Da-II-1 時間與資源有限，個人須學會做選擇	富有與貧窮 P54-59
	Da-II-2 個人生活方式的選擇	
經濟的選擇	Db-II-1 消費時的評估與選擇	量入為出的預算 P18 P45 需要與想要 P10

國民小學高年級（第三學習階段）

課綱主題	能力指標編碼與主要內容	本書相應內容
人與環境	Ab-III-3 自然環境、自然災害及經濟活動，和生活空間使用的關聯性	天氣影響價格 P37
全球關聯	Af-III-2 國際衝突、對立與結盟	戰爭與災難 P56 貿易障礙 P24 G7、G20 P50 世界銀行、IMF P52
	Af-III-3 參與國際事務，世界公民責任	第三世界債務 P48 人道救援 P58
社會與文化差異	Bc-III-2 資源分配不均與差別待遇	家庭養育成本 P5 富國與窮國 P44-47 外籍勞工 P49
價值的選擇	Da-III-1 做選擇時評估風險及承擔責任	負債 P50-53 P14-15
經濟的選擇	Db-III-1 選擇與理財規劃	收支、儲蓄與投資 P15-31

國民中學（第四學習階段）

課綱主題	能力指標編碼與主要內容	本書相應內容
臺灣的產業發展	地Ae-IV-2 臺灣工業發展的特色	臺灣主要出口產品 P36
	地Ae-IV-3 臺灣的國際貿易與全球關連	
食品安全議題	地Cb-IV-1 農業生產與地理環境	影響農業因素 P34-39
交易與專業化生產	公Bn-IV-4 臺灣若開放外國商品進口，對哪些人有利？對哪些人不利？	貿易開放與管制 P22-24
貨幣的功能	公Bp-IV-1 為什麼會出現貨幣？貨幣有何功能？	貨幣演進與功能 P8 貨幣鑄造與發行 P20
	公Bp-IV-2 儲值卡和貨幣的不同	電子貨幣 P11
	公Bp-IV-3 信用卡和使用貨幣的不同	
	公Bp-IV-4 外幣的買賣	匯率與匯兌 P18、21
全球關聯	公Dd-IV-1 全球化過程	跨國品牌 P38

高級中等學校（第五學習階段）

課綱主題	能力指標編碼與主要內容	本書相應內容
誘因	公Bm-V-2 政策影響誘因改變人民行為	租稅政策 P16
交易與專業化生產	公Bn-V-1 專業化生產的好處	專業分工與貿易 P28
	公Bn-V-2 進出口商品的決定因素	工業 P52 各國進出口品項 P28、30、36
國民所得	公Bq-V-2 國內生產毛額（GDP）如何衡量？	GDP P26-31 P44 真正的財富 P60
勞動參與	公Cd-IV-1 勞動參與與經濟永續	勞動與貢獻 P58-59
	公Cd-IV-2 家務勞動與社會參與	家務與打工 P20-23
市場機能與價格管制	公Ce-V-1 市場價格的決定	供需與價格 P40
全球關聯	公Dd-V-3 全球永續發展	公平貿易 P54
貿易自由化	公Df-V-1 貿易自由化	自由貿易 P24
	公Df-V-2 貿易管制的利與弊	開放與管制 P24 關稅與配額 P34

理財小達人2

為什麼爸媽忙著努力賺錢？
── 一起學習家庭理財

作者｜費莉西亞·羅（Felicia Law）、
　　　傑拉德·貝利（Gerald Edgar Bailey）
譯者｜顏銘新
責任編輯｜黃麗瑾
文字協力｜劉政辰、廖啟翔
封面設計｜東喜設計
封面插畫｜放藝術工作室
行銷企劃｜陳詩茵

天下雜誌群創辦人｜殷允芃
董事長兼執行長｜何琦瑜
媒體暨產品事業群
總經理｜游玉雪　副總經理｜林彥傑
總編輯｜林欣靜
行銷總監｜林育菁　版權主任｜何晨瑋、黃微真

出版者｜親子天下股份有限公司
地址｜台北市104建國北路一段96號4樓
電話｜（02）2509-2800　傳真｜（02）2509-2462
網址｜www.parenting.com.tw
讀者服務專線｜（02）2662-0332　週一～週五：09:00~17:30
讀者服務傳真｜（02）2662-6048
客服信箱｜parenting@cw.com.tw
法律顧問｜台英國際商務法律事務所·羅明通律師
製版印刷｜中原造像股份有限公司
總經銷｜大和圖書有限公司 電話：（02）8990-2588

出版日期｜2017年10月第一版第一次印行
　　　　　2024年 1 月第一版第十九次印行
定　　價｜300元
書　　號｜BKKKC074P
ISBN｜978-986-95442-1-4（平裝）

國家圖書館出版品預行編目(CIP)資料

為什麼爸媽忙著努力賺錢?：一起學習家庭理財 /
費莉西亞.羅(Felicia Law), 傑拉德.貝利(Gerald Edgar Bailey)著；
顏銘新譯. -- 第一版. -- 臺北市：親子天下, 2017.10
64面；18.5X24.5公分. -- (理財小達人；2)
譯自：Family money : how families spend their money and why
ISBN 978-986-95442-1-4(平裝)

1.家庭理財 2.通俗作品

421　　　　　　　　　　　　　　　106016170

照片 本書照片主要出自Shutterstock，其餘照片出處包括：
P.19，（左）falk（右）SeanPavonePhoto、P.36,Monkey Business Images、P.37,（左）Stephen Mcsweeny（右）Creativa、P.47,plumdesign、P.51，（左）Jacek（右）Mandy 　Godbehear、P.55，（上）marikond（下）Erik Lam、Africa　Studio、P.56,Jouke van Keulen、P.57,Jim Esposito/BLEND images/Corbis

訂購服務──
親子天下Shopping｜shopping.parenting.com.tw
海外·大量訂購｜parenting@cw.com.tw
書香花園｜台北市建國北路二段6巷11號
　　　　　　電話（02）2506-1635
劃撥帳號｜50331356 親子天下股份有限公司